This book belongs to:
Este libro le pertenece a:

Produce of
Oxnard

HECHO EN
OXNARD

For the kids of Oxnard. You are worthy. You are talented. I believe in you.

Para Lxs Niñxs de Oxnard. Ustedes valen mucho. Tienen mucho talento. Creo en ustedes.

First Printing: 2020

Primera impresión: 2020

ISBN-13: 978-1735151113

ISBN-10: 1735151113

Illustrations were hand-drawn by Griselda De Los Reyes, digitized by Leo Martinez, and colored and edited by Isaac Bizarro. English text was edited by Jordan Beltran Gonzales. Spanish text was translated and edited by Iliana Hernández.

Las ilustraciones fueron hechas a mano por Griselda De Los Reyes, digitalizadas por Leo Martinez, coloreadas y editadas por Isaac Bizarro. El texto en inglés fue editado por Jordan Beltran Gonzales. El texto en español fue traducido y editado por Iliana Hernández.

This story is a shorter, revised version of the chapter "Hablando Español sin Vergüenza" in the book 21 Miles of Scenic Beauty... and then Oxnard by Dr. Martín Alberto Gonzalez.

Esta es una versión revisada más corta del capítulo "Hablando Español sin Vergüenza", del libro 21 Millas de Vista maravillosa...y luego Oxnard por el Dr. Martín Alberto Gonzalez.

Summary: A bilingual story about a boy who refuses to speak Spanish until he is shown how important it is to be bilingual in his Spanish-speaking community.

Resumen: Una historia bilingüe acerca de un muchacho que se niega a hablar español hasta que se le demuestra la importancia de ser bilingüe en su comunidad de hablantes de español.

The Key to the City
La llave de la Ciudad

written by/escrito por
Dr. Martin Alberto Gonzalez

illustrated by/ilustrado por
Griselda De Los Reyes and/e Isaac Bizarro

Jacobo rarely took the local bus in Oxnard. Not because he was ashamed or could not afford it. The real reason was that it just took too long. But one day, he and his friends, Tomás and Jenny, wanted to go to T-Shirts Warehouse—since they were too tired to skate there, they waited for the bus.

Jacobo rara vez tomaba el autobús local en Oxnard. No porque le avergüenza o no pudiera pagarlo. La verdadera razón es que tarda mucho en pasar. Pero un día, él y sus amigos, Tomás y Jenny, querían ir a T-shirts Warehouse—como estaban muy cansados para patinar hasta allá, esperaron el autobús.

About ten minutes into their bus ride, an older Mexican lady pushing a worn-out shopping/laundry cart climbed in the bus, approached all three of them, and asked them in Spanish, "Hi, do you know what stop is H Street for the health clinic?"

Habían pasado como diez minutos que iban en su viaje en el autobús, cuando una señora mexicana que empujaba un carrito viejo de compras/lavandería se subió al autobús, se les acercó y luego les preguntó: "¿Hola, saben cuál es la parada para la clínica de salud en la calle H?"

Of all three of them, Jacobo understood her question perfectly because he spoke Spanish. But still he responded in English while raising three fingers, "In three stops."

De ellos tres, Jacobo fue el que entendió perfectamente su pregunta porque él habla español. Pero, aun así, respondió en inglés, "En tres paradas más."

The lady squinted her eyes as if she had just tasted something sour, and then immediately replied in Spanish, "What? What does that mean?"

La señora entrecerró los ojos como si acabara de probar algo amargo, e inmediatamente respondió en español: "¿Qué?, ¿Qué significa eso?"

When her stop approached, Jacobo announced "here" in English and pointed to the nearest door. The lady replied, "gracias," and then exited the bus.

Cuando su parada se acercó, Jacobo le dijo, "es aquí" en inglés, y le señaló la puerta más cercana. La mujer respondió "gracias" y luego se bajó del autobús.

After the lady left the bus, Tomás softly shoved Jacobo, "Why did you do that? Don't you speak Spanish? Why didn't you just respond to that lady in Spanish? That would have avoided her confusion," Tomás explained.

Después de que la señora se bajó del autobús, Tomás empujó a Jacobo suavemente y le dijo: "¿Por qué hiciste eso? ¿Qué no hablas español? ¿Por qué no le respondiste a la señora nada más en español? Eso habría evitado que se confundiera," le explicó Tomás.

"Yeah, I speak Spanish, but I don't understand why I have to speak it all the time. After all, don't we live in the United States? The official language of this country is English, so why can't I speak English?" Jacobo replied in frustration.

"Si, hablo español, pero no sé por qué tengo que hablarlo todo el tiempo. Después de todo, ¿Que no vivimos en Estados Unidos? El idioma oficial es el inglés, entonces ¿por qué no puedo hablar sólo en inglés?" contestó frustrado Jacobo.

"Pshh. Yeah, right! English is not the official language of the United States! English is not even the original language of this land," Jenny complained loudly. "You are missing out big-time when you don't want to speak Spanish. Aside from English, Spanish is the most common language in Oxnard. I wish I spoke more than one language, especially since we live here in Oxnard. If you live in Oxnard and you know how to speak both Spanish and English, then you have the key to the city."

"¡Uy sí! ¡El inglés no es el idioma oficial de los Estados Unidos! El inglés ni siquiera es el idioma original de estas tierras," dijo Jenny quejándose ruidosamente. "Estás en desventaja cuando no hablas español. Aparte del inglés, el español es el idioma más hablado en Oxnard," continuó Jenny. "Me gustaría poder hablar más de un idioma, especialmente viviendo aquí en Oxnard. Si vives en Oxnard y sabes hablar inglés y español, entonces tienes la llave de la ciudad."

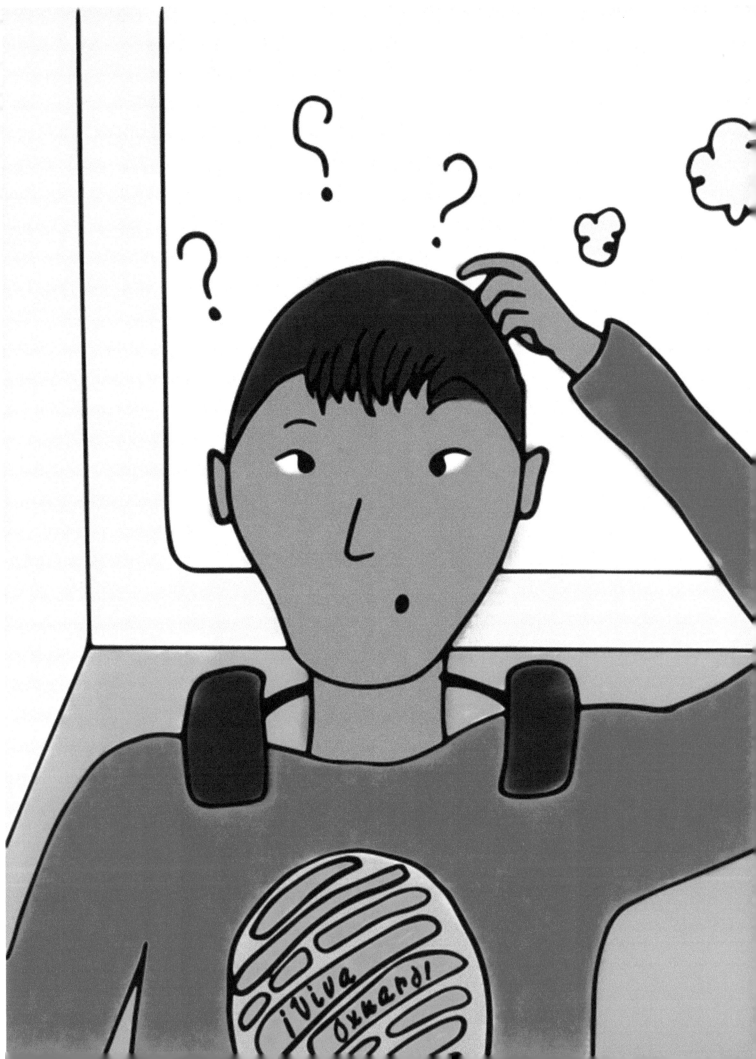

"What do you mean by 'the key to the city'?"
Jacobo asked in curiosity.

"¿A qué te refieres con 'la llave de la ciudad'?"
preguntó Jacobo, curioso.

"In Oxnard, there are a lot of people who speak only Spanish, so if you speak Spanish, then you would be able to talk with all of them without any problems," Jenny explained.

"En Oxnard hay mucha gente que sólo habla español, así que, si hablas español, te puedes comunicar con todos ellos sin problema," le explicó Jenny.

Jacobo listened carefully. He was interested in what Tomás and Jenny were telling him. "Tell me more, tell me more," he requested impatiently.

Jacobo escuchó cuidadosamente. Estaba muy interesado en lo que Tomás y Jenny le decían. "A ver, cuéntame más, dime más," les pidió impaciente.

"Yeah. I agree. If you are bilingual in Oxnard, then you are in a position to make a huge impact on our community," Tomás told Jacobo.

"Si. Estoy de acuerdo. Si eres bilingüe en Oxnard, entonces tú puedes lograr un gran impacto en nuestra comunidad," Tomás le dijo a Jacobo.

"You can translate for your parents, friends, or even people you do not know. For example, during our back-to-school night, you can help your parents who speak only Spanish understand your teacher who speaks only English," Jenny said in encouragement.

"Puedes traducir para tus padres, amigos y hasta desconocidos. Por ejemplo, durante la ceremonia de regreso a clases puedes apoyar a tus padres que sólo hablan español, para que le entiendan a los maestros que solamente hablan inglés," dijo Jenny para animarlo.

"Knowing Spanish would make it that much easier to buy Mexican candy at the swap meet on Sundays. Many of the workers there speak only Spanish. If you speak to them in Spanish, you might even get a Spanish-speaking discount," Tomás laughed.

"Si hablas español va a ser más fácil comprar dulces mexicanos en el tianguis de los domingos. Muchos de los trabajadores allí solo hablan español. Si les hablas en español, a lo mejor te dan un descuento," le dijo Tomás riéndose.

Jenny laughed in agreement. "That's true! At the swap meet, my tío was able to buy two baskets of strawberries for $10 instead of $12 because he spoke Spanish."

Jenny se rió al estar de acuerdo. "¡Es Verdad! En el tianguis, mi tío pudo comprar dos canastas de fresas por sólo $10 en lugar de $12 porque les habló en español."

"I do this already!" Jacobo responded excitedly. "Every month, I help my dad understand his medical bills that are only in English," Jacobo shared.

"¡Yo ya hago eso!" respondió Jacobo entusiasmado. "Todos los meses le ayudo a mi papá a entenderle a sus cuentas médicas que están escritas en inglés," Jacobo les compartió.

"You see, that is exactly what we are talking about! Imagine if you decided not to help your parents? Not only would you get in trouble, but your parents would also be so lost without your help. Your dad would not be able pay his bills or get his medications," Tomás explained seriously.

"Ves, ¡Eso es exactamente de lo que estamos hablando! ¿Imagínate si decidieras no ayudar a tus padres? No sólo te van a regañar, sino que tus padres también estarían perdidos sin tu ayuda. Tu papá no podría pagar sus recibos ni recibir sus medicamentos," explicó Tomás seriamente.

"Yeah. That's why I'm learning Spanish little by little. With the very few Spanish words and phrases that I do know, I get to help my Spanish-speaking abuelita change the TV channel," Jenny touted jokingly.

"Sí. Por eso estoy aprendiendo español poco a poco. Con el poco español que sé, puedo ayudar a mi abuelita, que habla solamente español, a cambiar el canal de televisión," bromeó Jenny.

"That's very true!" Jacobo agreed proudly. "By the way, our bus stop is coming up," Jacobo reminded Tomás and Jenny.

"¡Eso es muy cierto!," orgulloso, Jacobo estuvo de acuerdo con ella. "Por cierto, nuestra parada se acerca," Jacobo les recordó a Tomás y Jenny.

Tomás nodded, "Yeah. I wish I was in your position. I am also trying to learn Spanish, so that I can help those who need my help. If you speak both English and Spanish, then you play a very important role in keeping the Oxnard community running. Like we said, Jacobo, you have the key to the city!"

Tomás asintió, "Sí. Quisiera estar en tu lugar. Yo también estoy tratando de aprender español, para poder ayudar a quienes lo necesitan. Si hablas inglés y español, juegas un papel muy importante para mantener en armonía y funcionando a la comunidad de Oxnard. Como ya dijimos, Jacobo, ¡tienes la llave de la ciudad!"

"Yeah, that makes a lot of sense! I guess I do have the key to the city," Jacobo nodded in a prideful tone.

"¡Sí, tienen razón! Supongo que yo tengo la llave de la ciudad," dijo Jacobo con un tono orgulloso.

"Rose Ave and Gonzales Rd," announced the loudspeaker in the bus. "Pull the cord, Jenny, here's our stop!" Jacobo yelled impatiently as he rushed toward the door with his skateboard.

"Avenida Rose y Calle Gonzales," anunció el conductor por la bocina del autobús.

"¡Jala la cuerda, Jenny, aquí está nuestra parada!" Gritó Jacobo impaciente mientras corría hacia la puerta con su patineta.

Notes/Notas

Notes/Notas

🔑 Acclaim for Key to the City 🔑

"This book is very important to Oxnard kids because they need to know that being bilingual is a good thing and they should not be embarrassed about it. Also, the message in this book encourages our kids to never forget where they come from and to be proud of their culture."

-Yecenia Marròn, Mother of 3 kids & Resident of Oxnard, CA

"When youth are trying to find themselves and the purpose of their lives, it can be a trying time. This thought-provoking story through the eyes of a young bicultural/bilingual kid is a must-read, beautifully told with wonderful colorful illustrations sharing the culture of a rich heritage. Self-awareness and self-acceptance are lessons students of all ages can learn from this powerful message. This book can help teachers open up class discussions about the importance of being true to oneself and one's heritage, as well as teaching appreciation for different cultural backgrounds."

-Ms. Jacqueline Villanueva, M.Ed., Elementary School Teacher in Oxnard, CA & Artist

"What stood out to me the most about this book is the importance of speaking Spanish in our lives to be able to translate for my Grandpa, who does not speak very much English, and to be able to help him translate his mail. I hold the key to the city by going to Carl's Jr. and ordering for us because my Great-Grandmother doesn't speak English."

-Allison Ambriz, 4th-Grade Student in Oxnard, CA

"The thing that I liked the most about this book was that one of the characters looked just like me. He had dark skin like me. This book showed me that you can talk to more people and help out more people if you speak two languages."

-Darren Rivas, 2nd-Grade Student in Oxnard, CA

"This story is vibrant with color and experience. Captures the struggles of shame and language our youth face, and how to overcome/reconcile these. It is creative, funny, thought-provoking, and a beautiful representation of Oxnard's beating heart, its people, and community."

-Rosalilia M. Mendoza, Tia Chucha's Centro Cultural & Bookstore Coordinator & Community Member

🔑 Elogios para La Llave de la Ciudad 🔑

"Este libro es muy importante para lxs niñxs de Oxnard porque necesitan saber que ser bilingüe es algo bueno y no deberían avergonzarse por ello. Además, el mensaje en este libro anima a nuestros hijxs a que nunca olviden de dónde vienen y que se sientan orgullosos de su cultura."

-Yecenia Marròn, madre de 3 hijos y residente de Oxnard, CA

"Cuando los jóvenes intentan encontrarse con sí mismos y el propósito de sus vidas, puede ser un momento difícil. Esta historia que invita a la reflexión a través de los ojos de un niño bicultural/bilingüe es una lectura obligada, bellamente contactada con maravillosas ilustraciones coloridas que comparten la cultura de una rica herencia. La autoconciencia y la autoaceptación son lecciones que los estudiantes de todas las edades pueden aprender de este poderoso mensaje. Este libro puede ayudar a los maestros a abrir debates en clase sobre la importancia de ser fiel a uno mismo y al patrimonio de uno, así como enseñar el aprecio por los diferentes orígenes culturales."

-Em. Jacqueline Villanueva, M.Ed., maestra de escuela primaria en Oxnard, CA y artista

"Lo que más me llamó la atención sobre este libro es la importancia de hablar español en nuestras vidas para poder traducir para mi abuelo, que no habla mucho inglés, y poder ayudarlo a traducir su correo. Tengo la llave de la ciudad yendo a Carl's Jr. y ordenando por nosotros porque mi bisabuela no habla inglés."

-Allison Ambriz, estudiante de cuarto grado en Oxnard, CA

"Lo que más me gustó de este libro fue que uno de los personajes se parecía a mí. Tenía la piel morena como la mía. Este libro me mostró que puedes hablar con más personas y ayudar a más personas si hablas dos idiomas."

-Darren Rivas, estudiante de segundo grado en Oxnard

"Esta historia es vibrante con color y experiencia. Captura las luchas de la vergüenza y el lenguaje que enfrentan nuestros jóvenes, y cómo superarlos/reconciliarlos. Es creativo, divertido, estimulante y una hermosa representación del corazón palpitante de Oxnard, su gente y su comunidad."

-Rosalilia M. Mendoza, Coordinadora y Miembro de la Comunidad de Tia Chucha's Centro Cultural

About the Author

Dr. Martín Alberto Gonzalez is a Xicano raised in Oxnard, California. He completed his undergraduate studies at California State University, Northridge, then earned his doctorate from the Cultural Foundations of Education Department at Syracuse University, where he became the first Ford Foundation Predoctoral Fellow in the university's history. Because he personally observed his older siblings and his community's talents and interests be denied and repressed due to a lack of resources and opportunities, he became interested in issues related to social justice. As a teacher-scholar-activist, Dr. Gonzalez takes pride in telling stories that challenge stereotypes and empower his community and communities alike.

Sobre el autor

El Dr. Martín Alberto Gonzalez es Xicano, creció en Oxnard, California. Termino sus estudios superiores en la Universidad Estatal de California, Northridge. Obtuvo su doctorado por parte del Departamento de Educación de Fundaciones Culturales de la Universidad de Syracuse, donde tuvo la distinción de ser el primer becario predoctoral de la Fundación Ford en la historia de la universidad. Debido a que presenció cómo a sus hermanos/a mayores y a su comunidad se les negaron y reprimieron talentos e intereses debido a la falta de recursos y oportunidades, se interesó por las cuestiones relacionadas con la justicia social. Como profesor-académico -activista, el Dr. Gonzalez se siente orgulloso de contar historias que desafíen los estereotipos y empoderen su propia comunidad y otras comunidades similares.

Thank you

I am extremely thankful to be surrounded by so many people who have supported all my projects and ideas. I owe many thanks to all the educators who allowed me to share this story with their students before it became a book. I especially want to thank the 3rd-grade students at Cesar E. Chavez Elementary School in Oxnard—who gave me feedback, words of encouragement, and laughed at my jokes. Logistically, I would like to thank: Jordan Gonzales for his careful line edits; Iliana Hernández for thoroughly translating and editing the Spanish text; Griselda De Los Reyes for creatively hand-drawing all the illustrations; Isaac Bizarro for patiently coloring and editing the illustrations; and Leo Martinez for masterfully formatting the illustrations and covers. Last but not least, thank you to la Gente de Oxnard for believing in me.

Gracías

Me siento profundamente agradecido por estar rodeado de tantas personas que han apoyado todos mis proyectos e ideas. Quiero agradecer a todxs lxs maestros/as/xs que me permitieron compartir esta historia con sxs alumnxs antes de que se convirtiera en un libro. Especialmente, quiero agradecer a lxs estudiantxs de tercer grado en la Primaria Cesar E. Chavez en Oxnard por haberme dado sus comentarios y palabras de aliento, también se rieron con mis chistes. Quiero dar las gracias a quienes fueron parte de la logística: Jordan Gonzales por su cuidadosa edición; a Iliana Hernández por su minuciosa traducción y edición del texto en español, a Griselda De Los Reyes por sus creativas ilustraciones manuales, a Isaac Bizarro por la paciencia al colorear y editar las ilustraciones y a Leo Martinez por formatear de manera excelente las ilustraciones y las portadas. Por último, pero no menos importantes, quiero agradecerles a ustedes, la gente de Oxnard por creer en mí.

CPSIA information can be obtained
at www.ICGtesting.com
Printed in the USA
BVHW020817090820
585875BV00002B/6